La vie quotidienne au
Moyen Âge

Écrit par Dominique Joly
Illustré par Cécile Gambini

GALLIMARD
JEUNESSE   MES PREMIÈRES DÉCOUVERTES • LIVRE-RÉBUS

Le Moyen Âge est une longue
période de plus de mille ans.
En Europe, l'insécurité est grande.
Les envahisseurs pillent, les brigands
rôdent sur les chemins.
Les seigneurs et les rois
se font la guerre.

Il faut pourtant survivre, élever
ses bêtes, cultiver la terre pour
se nourrir, et circuler sur les routes.
Il faut aussi se défendre et s'abriter
derrière les murailles
du château fort
ou de la ville.

Sur la tour flotte un étendard.

Les créneaux en pierre permetten

au guetteur de surveiller les environs

sans être vu. Qui donc est en train de

s'approcher du château fort ? Il pourra

entrer si le pont-levis est abaissé.

Derrière une archère, ou fente,

un guetteur est prêt

à tirer une flèche.

Un fossé entoure la muraille.

Dans le donjon, le seigneur offre un festin. Les assiettes sont des tranchoirs : des tranches de pain dur. Les gobelets sont remplis de vin. L'archet produit une musique festive et dansante. Le couteau planté dans la viande servira à la découper. On la mange avec les doigts. Voici le drôle de chapeau du jongleur. Quelle ambiance au château !

Que d'activité au village ! Le paysan laboure avec sa charrue la terre. Un autre coupe le bois qui sera brûlé l'hiver dans la cheminée. Dans le tonneau s'est caché le chien qui aboie. Il fait caqueter les poules. Elles picorent les grains qui n'ont pas été mis dans les sacs en toile. Que fait l'apiculteur ? Il récolte dans la ruche le miel des abeilles.

Le soldat fait payer tous ceux qui parcourent les terres du seigneur Ce sont les pèlerins, les paysans poussant leurs charrettes en route vers le moulin ou le marché de la ville. Les mulets accompagnent les marchands. Les ballots contiennent leurs marchandises. Avec sa hotte, le colporteur cache sa bourse pleine de sous.

Malheur, c'est la guerre et la ville est assiégée ! Les soldats se protègent avec leurs bouclier et ils lancent des grosses pierres sur les ennemis qui grimpent le long de l'échelle. Avec une arbalète on tire des flèches.

Le trébuchet lance des boulets avec une fronde. L'engin de siège et sa poutre vont défoncer la porte.

Le répertoire des
MOTS-RÉBUS

Étendard : quand il est hissé au sommet de la tour, le seigneur est présent dans son château.

Créneau : partie creuse du mur qui couronne la tour. La partie pleine est appelée merlon.

Pont-levis : baissé, ce pont enjambe le fossé. Relevé, il protège le château. Impossible d'entrer !

Archère : à travers cette mince fente percée dans les murs épais, l'archer tire ses flèches sans être vu de l'ennemi.

Tranchoir : tranche de pain rassis placée sur une plaque de métal ou de bois. Chacun y pose la viande prise à l'aide d'une fourche à deux dents.

Gobelet : récipient en métal dans lequel on boit le vin. On le partage avec son voisin de table. Il peut être en bois. Le verre n'existe pas.

Archet : il sert à gratter les cordes du rebec, l'ancêtre du violon joué par le troubadour ou le trouvère qui va de château en château.

Couteau : il est utilisé pour trancher les viandes, surtout le gibier chassé par le seigneur.

Chapeau : pour faire rire les invités, le jongleur est vêtu d'un déguisement. Sur la tête, son chapeau en velours ou en feutre est orné de clochettes ou de grelots.

Charrue : munie d'un soc en métal, cet instrument tiré par des bœufs retourne les mottes de terre. Bientôt, les graines seront semées.

Tonneau : ce récipient en bois sert à mettre en réserve le vin, le poisson et la viande salés. Il est entreposé à la cave.

Poule : animal de la basse-cour élevé pour sa chair et ses œufs. Quand elle crie, elle caquette.

Sac en toile : robuste, on y met le grain (blé, orge ou seigle) qui est ensuite transporté au moulin pour être moulu.

Ruche : petite maison abritant les abeilles qui produisent du miel utilisé pour sucrer les aliments. L'élevage des abeilles ou apiculture est très répandu au Moyen Âge.

Soldat : ce combattant défend les terres du roi ou du seigneur. Il porte des armes pour attaquer et se défendre.

Pèlerin : il part sur les routes rejoindre une église. Il y prie pour le pardon de ses fautes ou la guérison d'une maladie.

Charrette : c'est un véhicule à deux roues muni de deux longs bras. Elle transporte toutes sortes d'objets : sacs, outils, pierres...

Ballot : paquet de marchandises placé sur le dos des animaux. Il contient des tissus précieux et des draps de laine vendus dans les foires.

Hotte : corbeille en osier portée sur le dos. Le colporteur y met les rubans, lacets et plantes médicinales qu'il vend de village en village.

Roue à écureuil : actionnée par des hommes qui marchent à l'intérieur, elle sert à soulever des matériaux lourds.

Toit en ardoises : soutenu par une charpente, il protège la maison. Il peut être couvert de feuilles d'ardoise ou de tuiles.

Enseigne : inscription ou objet fixé sur le mur d'une maison permettant de signaler la boutique d'un marchand ou l'atelier d'un artisan.

Puits : trou profond creusé dans la terre jusqu'à la nappe d'eau souterraine. On y puise l'eau avec un seau.

Panier de poissons : on mange beaucoup au Moyen Âge de poisson frais, salé ou fumé. Il est abondant et ne coûte pas très cher. Anguilles et brochets abondent dans les étangs.

Bouclier : aussi appelé écu, il protège le soldat des flèches et des boulets. Le blason du seigneur peint dessus désigne le camp auquel le soldat appartient.

Échelle : au moment de l'assaut, elle permet d'escalader les murailles. L'opération est dangereuse car les soldats qui grimpent sont sans défense.

Arbalète : cette arme de jet tire des flèches, appelées carreaux, à 150 mètres de distance et peut ainsi percer une armure en fer.

Engin de siège : machine en bois utilisée pour assiéger un château ou une ville. Recouverte de peaux de bête humides, elle ne prend pas feu.

Fronde : lance-pierres actionné par le trébuchet qui peut lancer des projectiles vers le haut jusqu'à 300 mètres de distance.

Jeu des MOTS-RÉBUS…

charrue

marchand

muraille

... et des CHARADES

- mon premier est la mère des chatons
- mon deuxième coule du robinet
- mon troisième est le contraire de faible

château fort ● mon tout est
l'habitation du seigneur

- mon premier est le contraire de dur
- mon deuxième est une plante
dont on fait des vêtements

moulin ● on apporte le grain
pour le moudre et faire
de la farine dans mon tout

DÉJÀ PARUS DANS LA COLLECTION :
Les dinosaures
Le château fort
Les saisons
Les transports
La vie au temps des Égyptiens
La ferme à travers les âges
La vie quotidienne au Moyen Âge

TITRE À PARAÎTRE :
La vie au temps de la préhistoire

Responsable éditoriale : **Anne de Bouchony** • Maquette : **Chloé BdC**

ISBN : 2-07-055877-0
© Éditions Gallimard Jeunesse, 2004
Dépôt légal : septembre 2004
Numéro d'édition : 128274

Imprimé en Italie par Editoriale Lloyd
Loi n° 49-956 du 16 juillet 1949
sur les publications destinées
à la jeunesse